SANTA CRUZ PUBLIC LIBRARIES
Santa Cruz, California

DISCARDED

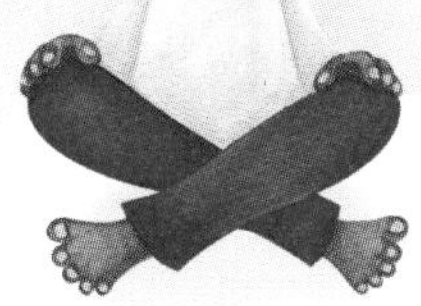

Buenas noches yoga

Un cuento para ir a dormir, postura a postura

Mariam Gates
CON ILUSTRACIONES DE
Sarah Jane Hinder

Título original: *Good Night Yoga*

Traducción: Nora Steinbrun

© 2015, Mariam Gates
© 2015, Sarah Jane Hinder por las ilustraciones

Publicado por acuerdo con Sounds True Inc.
413, Arthur Avenue, Louisville, CO 80027, EE.UU.

De la presente edición en castellano:
© Gaia Ediciones, 2016
Alquimia, 6 - 28933 Móstoles (Madrid) - España
Tels.: 91 614 53 46 - 91 614 58 49
www.alfaomega.es - E-mail: alfaomega@alfaomega.es

Primera edición: octubre de 2017

Depósito legal: M. 9.554-2017
I.S.B.N.: 978-84-8445-670-4

Impreso en India

Cualquier forma de reproducción, distribución, comunicación pública o transformación de esta obra solo puede ser realizada con la autorización de sus titulares, salvo excepción prevista por la ley. Diríjase a CEDRO (Centro Español de Derechos Reprográficos, www.cedro.org) si necesita fotocopiar o escanear algún fragmento de esta obra.

Para vosotros tres: Rolf, Jasmine y Dylan.

MG

Para Mike, mi marido y mi mejor amigo,
por todo su amor y apoyo y por traerme chocolate
caliente cuando estoy trabajando.
Para Dan, el mejor hijo del mundo.
Y para mis pequeñas inspiraciones: Josh, Meg,
Katie y Bridie, Isabel, Ava, Ellie y William.

SJH

El sol, poco a poco, esconde sus rayos...

Mientras inspiro y espiro
subo los brazos al cielo y después los bajo,
tan largos como los rayos del sol.

Tomo aire, doblo las rodillas
y con los brazos acerco las nubes a mi cuerpo.
Luego suelto el aire, estiro las piernas
y, con la espalda bien recta,
dejo volar las nubes por encima de mi cabeza.

y las nubes van por el cielo flotando.

Miles de estrellitas brillan en su danza...

Mientras inspiro y espiro,
extiendo los brazos
hacia las estrellas.

y la luna sube y, por fin, ¡las alcanza!

Mientras inspiro y espiro,
estiro la columna.
La inclino hacia un lado,
después hacia el otro
y me parezco a una media luna.

Los pájaros vuelan, vuelven a sus casas...

Mientras inspiro y espiro
me concentro en un punto
y extiendo los brazos
para planear por el aire.

Mientras inspiro y espiro
llevo los hombros hacia atrás.
Ahora tengo el corazón abierto
y soy tan alto y firme como un árbol.

allí, en las ramas, hasta en las más altas.

Mientras inspiro y espiro,
junto las palmas
y me siento en cuclillas
sobre mi hoja blandita.

Y las mariquitas, muy acurrucadas...

Mientras inspiro y espiro,
junto las plantas de los pies
y abro las rodillas hacia los lados
como si fueran las alas de una mariposa.

cuentan mariposas

Un lindo gatito en la luna susurra...
Mientras inspiro y espiro
arqueo la espalda como si fuera un gato.

Mientras inspiro y espiro
me siento sobre los talones y me quedo quieto.
Mi cuerpo es tan redondo como la Tierra.

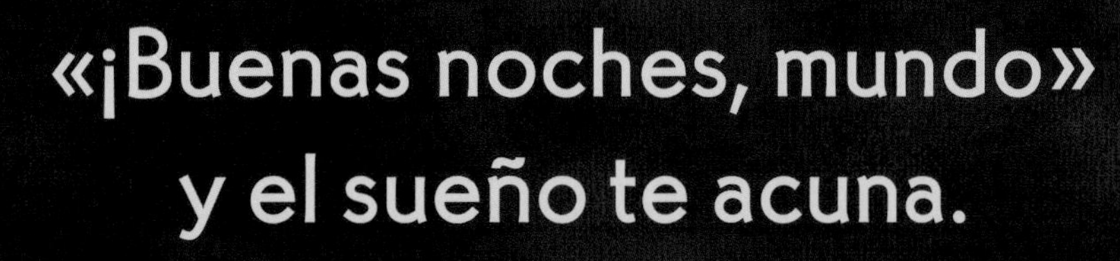

«¡Buenas noches, mundo»
y el sueño te acuna.

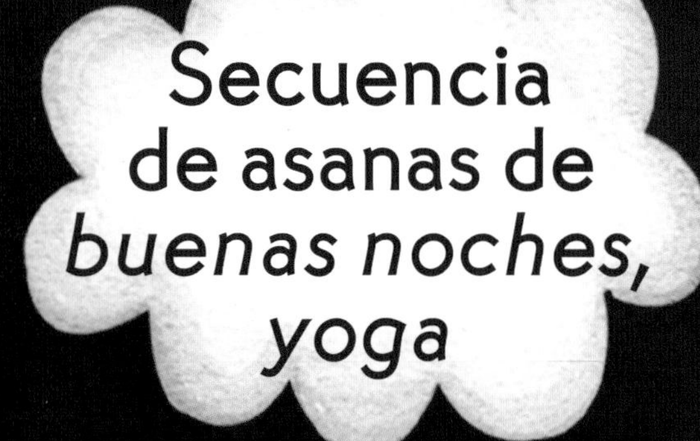

Secuencia de asanas de *buenas noches, yoga*

Sol

Mientras inhalas sube los brazos por encima de la cabeza, y bájalos al soltar el aire.

Nube

Inhala y dobla las rodillas. Después exhala y estira las piernas, levantando los brazos por encima de la cabeza.

Árbol

Estira bien la espalda para ser muy alto. Apoya el pie en el tobillo contrario o por encima de la rodilla y mantén el equilibrio. Después cambia el pie de apoyo.

Mariquita

Dobla las rodillas, lleva los hombros hacia atrás y une las palmas de las manos.

Mariposa

Siéntate en el suelo, une las plantas de los pies y lleva los hombros hacia atrás.

Estrella

Apoya los pies con fuerza en el suelo. Extiende los brazos hacia los lados.

Media luna

Inspira y alarga la espalda. Después exhala e inclínate primero hacia un lado y después hacia el otro.

Pájaro

Concéntrate en un punto. Levanta un pie hacia atrás y mantén el equilibrio. Después, cambia el pie de apoyo.

Abeja

Inspira y siéntate con la espalda recta. Lleva los brazos hacia atrás, suelta el aire y baja la frente hacia el suelo.

Gato

Inspira y mira hacia arriba, dejando que la espalda se curve hacia abajo. Al soltar el aire mete la barbilla y sube la espalda tan alto como puedas.

Niño

Siéntate sobre los tobillos y descansa.

Visualización: Un viaje por las nubes

Túmbate boca arriba con las manos a cada lado del cuerpo. Respira muy profundamente y después suelta el aire despacito. Imagina que estás tumbado sobre una nube blanca. Es tan blandita que te hundes en ella mientras te lleva cada vez más alto.
¡Estás flotando en el aire!
Te meces hacia delante y hacia atrás.
Tu nube te traslada a un lugar que te encanta.
Es un sitio maravilloso repleto de colores y sonidos.
Nota lo a gusto que te encuentras allí.

Inspira. Suelta el aire.
Cuando estás preparado,
tu nube lentamente empieza a bajar
hasta dejarte con mucho cuidado en el suelo.
Y cuando se aleja, se lleva todo lo que te está
preocupando… ¡fiuuuuuu!
Ahora te sientes en calma, en paz y muy feliz.
Respira profundo otra vez…
y suelta el aire poquito a poco.
¡Felices sueños!

Acerca de la autora

De niña, Mariam Gates solo conseguía dormir si sus padres dejaban las luces de su cuarto encendidas, la puerta abierta y al menos un vaso de agua en la mesilla de noche. ¡Pero ahora es una experta en quedarse dormida antes de que su cabeza llegue a la almohada! Mariam tiene un máster en educación por la Universidad de Harvard y lleva más de 20 años trabajando con niños. Su famoso programa Kid Power Yoga combina su amor por el yoga con diversas técnicas que ayudan a los pequeños a acceder a sus dones únicos. Vive en Santa Cruz, California, con su esposo, el profesor de yoga Rolf Gates, y sus dos hijos.
Encontrarás más información sobre ella en www.mariamgates.com.

Mientras tomo aire
me siento con la espalda bien recta
y estiro los brazos hacia atrás como si tuviera alas.
Después suelto el aire imitando un zumbido
y bajo la cabeza hasta apoyarla en el suelo.

y abejas doradas.

Acerca de la ilustradora

Sarah Jane Hinder descubrió su amor por la ilustración de niña, cuando se propuso añadir algunos toques de lápiz de cera azul a su libro de canciones de cuna... ¡en todas las páginas! De mayor fue profesora de arte y diseño hasta que tomó la decisión de dedicarse por completo a la ilustración. En la actualidad, sus diseños en acrílico ilustran varios libros infantiles. Vive en Manchester, Inglaterra, con su marido y dos chihuahuas. Si deseas conocer su trabajo, visita www.smogawoo.com.

Otras publicaciones de Peque Gaia

BUENOS DÍAS, YOGA

Un cuento para despertarse, postura a postura

MARIAM GATES. ILUSTRADORA: SARAH JANE HINDER

Un libro ilustrado para niños y niñas yoguis con asanas para empezar el día con buna energía, desperezar el cuerpo y la mente y prepararse para la aventura cotidiana de la vida.

YO SOY YOGA

SUSAN VERDE. ILUSTRADORA: PETER H. REYNOLDS

Afirmaciones bellamente ilustradas que inspirarán a niños y adultos a vivir con más calma, a practicar posturas de yoga y fortalecer.

JUEGOS YOGA

50 actividades divertidas de yoga para niños y mayores

TARA GUBER Y LEAH KALISH. ILUSTRADORA: SOPHIE FATUS

Con estas fichas tus hijos se divertirán practicando yoga y aprenderán a: respirar, mantener el equilibrio, estar erguidos, flexibilizar la columna, estirarse, practicar en pareja y relajarse.